Cher François,
Que le Souffle
du Ressuscité te
donne sa force et
sa paix.
Pierre
03/05/17

Les saisons *d'un* passage

PIERRE CHARLAND

saisons
d'un
passage

1073, boul. René-Lévesque Ouest • Québec Canada • G1S 4R5 • (418) 687-6086

DU MÊME AUTEUR

Les ponts de joie, 2002, Les Adex.

Fleuves, 2004, Les Adex.

Le jeune Tobias et son ange, 2006, Médiaspaul.

Naître à l'invisible, Éditions Anne Sigier, 2004.

Dépôt légal : Bibliothèque et Archives nationales du Québec, 2007
Bibliothèque et Archives Canada, 2007

ISBN 978-2-89129-538-3

Imprimé au Canada

Distribution :

Canada : Messageries ADP — France : AVM Diffusion
Belgique : Alliance Services — Suisse : Albert le Grand

www. annesigier.qc.ca

Nous reconnaissons l'aide financière du gouvernement du Canada par l'entremise du Programme d'aide au développement de l'industrie de l'édition (Padié) pour nos activités d'édition consacrées à la publication des ouvrages reconnus admissibles par le ministère du Patrimoine canadien.

Nous remercions le gouvernement du Québec (Sodec) de son appui financier.

En hommage aux personnes

que j'ai eu le privilège d'accompagner

au Centre de santé et de services sociaux d'Argenteuil.

J'ai constaté, il y a quelques années, que le mythe – pourtant répandu – de la jeunesse éternelle est fondamentalement mensonger. Il y a des saisons à nos vies, comme il y a des saisons dans la nature. Cette constatation a inspiré le titre de ce recueil.

Les poèmes qui le composent font écho à une expérience d'accompagnement de personnes atteintes de maladies graves, ou arrivées à l'étape de la fin de vie. Au fil de ces textes, les mots nous entraînent sur une route qui mène d'abord à une impasse angoissante. Se dégage ensuite progressivement un passage étroit – souvent difficile – qui laisse entrevoir une éclaircie. Un tel itinéraire n'est ni immuable ni universel, mais il marque le parcours de nombreuses personnes confrontées à l'épreuve de la maladie et de la mort.

Les *saisons d'un passage* sont celles de la transition souvent lente, et occasionnellement abrupte, du désespoir et de l'agitation, à l'accueil d'une nouvelle dimension de vie, libératrice et lumineuse. Les étapes du chemin sont balisées par des notes parfois sombres, parfois gorgées de musique, de rêve, d'amitié.

Alimenté par la conviction que *nul ne meurt seul*, j'ai choisi, pour quelques-uns de ces poèmes, de donner la parole à l'Ami : celui *qui fait route avec nous*, et qui peut étonner autant par son silence que par la présence familière et apaisante qu'il manifeste au-delà des illusions et de la peur.

L’automne

Après le bouillonnement des activités de l’été, il y a l’automne.

Cette saison propice à l’intériorité se caractérise par les dépouillements de la nature, les temps gris et les soleils voilés. Mais aussi par des ciels d’un bleu immense.

Quand on entre dans une chambre de soins palliatifs – comme quand on entre en soi –, des vagues immortelles d’enfance sont souvent au rendez-vous. Des vagues d’enfance, des sursauts de mémoire, des charnières de toutes sortes qui tentent de repriser les pièces détachées de nos vies. Ces retours sur le passé vont de pair avec les arrêts et les décapages qu’impose la maladie ; ils forcent la confrontation et préparent l’œil intérieur à une rencontre.

« Laissez les petits enfants venir à moi, car c’est à leurs semblables qu’appartient le royaume de Dieu » (Lc 18,16), dit Jésus. Cette phrase nous rappelle qu’au-delà du temps qui passe, du corps qui s’use et de la peau qui ride, la pointe du cœur appelle la vie à une nouvelle jeunesse. N’y a-t-il pas, dans les pupilles de l’enfance, des reflets de la plus pure liberté ?

Père en pièces

inlassable mendicité
sur les routes
de l'ailleurs

c'est toi que je quête
sur les sentiers
de déroutes

je sonde des rêves
et des sourires
qui t'esquissent
te révèlent
puis t'effacent

– Père en pièces détachées –

tes haillons de lumière
hantent
les sillons gris
de ma mémoire
tressée de paroles
trouée de mutismes

la courtepointe
de mon nom
quémande
les coupons translucides
de ton visage

Larmes

larmes sur un terreau sec
rien n'a germé

à cinq ans
tout était joué
l'enfant est mort

il ne parle plus

c'est Dieu qu'ils ont éteint
enfoui dans des cavités
sous les cicatrices
d'orbites vides

doucement
le déicide a fait son nid
dans leurs yeux ternes

ployant sous la honte
leurs vieilles âmes
se sont recroquevillées

elles se sont entassées
dans les écrins opaques
du mensonge

mais ce soir
nous sommes deux :
toi et la lumière

aucun mot n'est dernier
il n'y a que des hommes seuls
et beaucoup de regrets

Prisons

où avez-vous mis ma chaise?
il n'y a ici que des prisons

tombent les lunes
passent les jours

je suis sans courage
sans poèmes
comme un enfant blême

je ne sais plus conjuguer
les temps
de ma pauvreté

les miroirs de moi
se fendillent

le pâle croquis de mon histoire
s'efface

je suis en suspens
je m'émiette

sur une toile tendue
de peurs
et de désespoir

Absence

à peine moitié de moi-même
absent de toi

un halo d'espérance
s'esquisse
au seuil des heures

l'appel retentit
régulier, persistant

prendre le temps
d'écouter

les enfants qui jouent
les vieillards qui veillent
la nuit qui descend
et ton cœur
qui bat

inlassablement

AMI

Ami

I

asseyons-nous ici

l'air du large
nous fera du bien

il fait bon
le vent est chaud

II

à cinq ans
ils m'ont crevé les yeux

j'ai barré mon cœur
puis j'ai joué aux échecs
pour des fragments de soleil

III

aujourd'hui
la blessure
est à vif

un sang pur
gicle
de mon enfance

regarde
le ciel s'enflamme d'étoiles

ta voix s'adoucit
ton visage s'illumine

IV

comme tous les aveugles
j'ai marché à tâtons

j'ai quêté
le bonheur de vivre
la fraîcheur des matins

couche-toi ici

je vais enduire tes yeux
de sable et de salive

V

pour toi
mon ami

je me fais christ
et pélican

Parole de vent

courir
fatigué

une oasis de toi
me respire
et je suis là

mardi matin

rythme lent
de soleils souterrains
mis à nu
par nos silences
nos sourires

deux cœurs
en déroute
se déposent
dans un même lit
de confiance

Élan

le colibri s'élance
puis vacille

il hésite
devant la corolle fanée
d'un hibiscus royal
à doubles pétales

ÉLAN

Extrait du livre de Qohélet

Souviens-toi de ton Créateur
aux jours de ton adolescence,

avant que viennent les mauvais jours
et qu'arrivent les années dont tu diras :
« Je n'y ai aucun plaisir » ;

avant que s'assombrissent le soleil et la lumière,
et la lune et les étoiles,
et que les nuages reviennent et puis la pluie,
au jour où tremblent les gardiens de la maison,
où se courbent les hommes vigoureux,
où s'arrêtent celles qui meulent, trop peu nombreuses,
où perdent leur éclat celles qui regardent par la fenêtre,
quand les battants se ferment sur la rue,
tandis que tombe la voix de la meule,
quand on se lève au chant de l'oiseau
et que les vocalises s'éteignent ;
alors on a peur de la montée,
on a des frayeurs en chemin,
tandis que l'amandier est en fleur,
que la sauterelle s'alourdit
et que le fruit du câprier éclate ;
alors que l'homme s'en va vers sa maison d'éternité
et déjà les pleureuses rôdent dans la rue ;

avant que se détache le fil argenté
et que la coupe d'or se brise,
que la jarre se casse à la fontaine
et qu'à la citerne la poulie se brise,

avant que la poussière retourne à la terre,
selon ce qu'elle était,
et que le souffle retourne à Dieu qui l'avait donné.
Vanité des vanités, a dit le Qohélet, tout est vanité.

Qohélet (12,1-8)

Nuit

ne rien voir

avancer
sans comprendre

se détacher
des mots
des regards
et du temps qu'il fait

faire place
à la case vide
de l'amour

NUIT

L'hiver

Il y a l'hiver blanc, froid, muet.

Il y a des jours transis, sans espérance,
où le cœur se ratatine
et ne croit plus à l'amour.

Toujours, des semences sont en travail,
mais je ne les vois pas.
Toujours, l'enfant veille,
mais je n'entends pas son chant.

Quand tombe la sentence,
sur un lit d'hôpital,
il n'y a plus de saisons.
Il n'y a que l'instant de la souffrance,
l'instant du désespoir.

Et puis, progressivement, la vie se remet
à battre et une porte s'ouvre.

Une étroite passerelle de lumière
redonne corps à mon humanité.

Poème

sur une page blanche
dans la corbeille vide

un poème
taché de sang

Moi de cire

que reste-t-il de moi ?

vous m'oublierez
j'ai raté ma vie
je suis seul

qu'est-ce qui donne consistance
à mon humanité ?

quel ciment rassemble
les morceaux de moi ?

ai-je les traits de mes amours
ou de mes transgressions ?

mes morts sont lentes
nombreuses et cruelles

je m'éteins douloureusement
comme une bougie oubliée
au fond d'un temple maudit

Tumeur

froid mortel

humidité sous la peau
jusqu'à la moelle

je patauge
dans des liquides visqueux
qui peu à peu
m'engloutissent

je consens
à la pesanteur
de membres fatigués
et à l'incertitude
de cadences répétitives
et trop familières

mon corps amputé
se vide
se disloque

je ploie
sous l'implacable évidence
de ma chair confuse
et révoltée

Invitation

j'esquisse
un sourire fragile

emmitouflé
dans les draps fiévreux
de la souffrance

c'est à toi de naître
mais je suis là

c'est à toi de passer
mais je t'attends

ouvre les yeux
les miracles se bousculent
à la porte
de ton regard

prends ma main

viens rejoindre
la foule
des artisans
de la grâce

Offrande

mes pieds
écrasent
les amas
d'os et de chair
accumulés
dans la ruelle obscure

je déterre
les traits d'un visage
enfouis
parmi les dépouilles

une Véronique
drapée de soie
sanglote
sous un vieux réverbère

l'air frais caresse ma joue

un crapaud coasse

je communie à la vie
des quenouilles
des huards
et des libellules

Filets

la beauté transforme

chacun de tes gestes gracieux
m'illumine

je ne meurs pas
je m'éveille
et c'est toi qui m'accueilles

au cirque
de mes chutes
des filets de lumière
veillent
à la fluidité
du voyage

Interstice

givre de lumière

fil tendu
entre toi et moi

il y a une âme
à la terre

les tortues
mesurent
la joie du cœur
à la liberté
des regards

nous baignons
dans une aube généreuse

donne ta main
je deviendrai transparent
comme la salamandre
qui s'endort

Anna, Monsieur Charles
et le libraire
ont vu l'ange
qui m'accompagne

il sourit toujours

lui qui sait la proximité
entre mes yeux et le ciel

L'ange

Hier, l'ange m'est apparu. Au début, je ne l'ai pas reconnu. Il faut dire que j'ai longtemps fait tant d'efforts pour ne pas le voir. Par peur, sans doute. Peur qu'avec lui tout soit trop clair, ou trop ennuyant peut-être…

Mais hier, il m'a frôlé la joue et nos yeux se sont croisés. Son regard fluide et profond m'a pénétré l'âme, lavant sur son chemin tristesse et angoisse, et m'inondant d'une chaleur vive, bienfaisante. Il a chassé tous les résidus de désespoir qui m'obstruaient le cœur.

Aujourd'hui, il sourit et ne parle pas. Debout près du lit, il laisse simplement passer le temps. Une intimité paisible, translucide, s'installe entre nous. Sa présence silencieuse rassemble les fils épars de mon histoire. Des tambours intérieurs, que je croyais morts, se remettent à battre.

Un vent chaud entre par la moustiquaire d'une fenêtre. Je fixe les filets de lumière qui traversent les carreaux et viennent éclairer ma main grise. Leur beauté, simple et délicate, coule en moi comme un ruisseau de soleil.

Éclaircie

le lièvre s'arrête
attentif

sa silhouette se découpe
en nuances de blanc
sur un sentier de silence

ÉCLA

IRCIE

Le printemps

Le jour se lève.
Un héron s'éveille.

Des retailles de lumière sont en travail
dans la chambre d'hôpital.

Quelques fleurs, le journal,
un rayon de soleil
et toujours cette lumière.

Une eau me berce. Elle est le souffle
qui recrée mes sommeils,
qui leur donne relief et couleur.

C'est le temps du plein abandon
à la tendresse douce et fluide
d'un jour nouveau.

BLEUS

Bleus

il n'y a pas
que les rives sales
du mensonge

il y a aussi de l'océan
dans nos yeux

au hasard des regards
des vagues se cassent
sur les rives
de la douleur

la porte
de l'insondable
s'entrebâille

des alizés
de bonheur
caressent
les dunes assoiffées
de nos déserts

Le *Cantique de frère soleil* de François d'Assise

Très haut, tout puissant et bon Seigneur,
à toi louange, gloire, honneur,
et toute bénédiction ;
à toi seul ils conviennent, ô Très-Haut,
et nul homme n'est digne de te nommer.

Loué sois-tu, mon Seigneur, avec toutes tes créatures,
spécialement messire frère Soleil,
par qui tu nous donnes le jour, la lumière ;
il est beau, rayonnant d'une grande splendeur,
et de toi, le Très-Haut, il nous offre le symbole.

Loué sois-tu, mon Seigneur,
pour sœur Lune et les étoiles :
dans le ciel tu les as formées,
claires, précieuses et belles.

Loué sois-tu, mon Seigneur, pour frère Vent,
et pour l'air et pour les nuages,
pour l'azur calme et tous les temps :
grâce à eux, tu maintiens en vie toutes les créatures.

Loué sois-tu, mon Seigneur, pour frère Feu,
par qui tu éclaires la nuit :
il est beau et joyeux,
indomptable et fort.

Loué sois-tu, mon Seigneur,
pour sœur notre mère la Terre,
qui nous porte et nous nourrit,
qui produit la diversité des fruits,
avec les fleurs diaprées et les herbes.

Loué sois-tu, mon Seigneur, pour ceux
qui pardonnent par amour pour toi,
qui supportent épreuves et maladies :
heureux s'ils conservent la paix,
car par toi, le Très-Haut, ils seront couronnés.

Loué sois-tu, mon Seigneur,
pour notre sœur la Mort corporelle,
à qui nul homme vivant ne peut échapper.

...

Louez et bénissez mon Seigneur,
rendez-lui grâce et servez-le
en toute humilité.

Tamis de l'aube

les mots s'estompent

il ne reste
que des regards

– quelques sourires –

et une douceur nouvelle
dont se revêt
chaque instant

le rythme de mes jours
n'est plus le même

mon corps baigne
dans la lumière

même la douleur
perd le souffle
devant l'immensité

Quête

mélodie aphone
fleur et printemps

je te quête
aux confins du silence

parmi des regards
des songes
et des prières

le long de routes immenses
enneigées de soleil

QUÊTE

En deçà

où est la poésie?

la brise du soir
porte la promesse
de suspens sacrés

voies neuves
d'où sourdra la joie
créatrice de l'instant

main tendue
simple don

je hume
la chaste quiétude
blottie au cœur
de chaque atome

la nuit m'appelle
au silence

Brèche

ce soir
le brouillard se lève
et j'aperçois l'enfant

il est étendu
sur un coussin de lumière
entre les allées de pivoines
et les cœurs saignants

Il m'arrive de goûter la saveur du temps qui passe, de savourer des secondes pures – charnues et bavardes –, gorgées de la vie de Dieu.

Cette nuit, l'ange est debout à mes côtés et il fredonne une mélodie nouvelle. Je comprends que le moment du passage approche.

Songe d'avril

je ferme les yeux
j'ouvre le cœur

entends-tu
les flots des rivières
et les vents des prairies ?

des peuples en migration
animent ma mémoire

ruptures et communions
enfantent ma liberté

un sang sacré
coule en mes veines

l'appétit prie en moi

il raconte la toile
et compose la symphonie
de cet instant
limpide

je perce
à la sueur de mon désir
une clairière d'éternité
pour tout vivant
qui espère

Onction

I

un chant pur
troue le silence

les battements de ma chair
deviennent intercession
et prière

II

le visage ravagé
du fou
se détend
se délie
s'assouplit

il se pénètre
des huiles
de la louange

III

chaînes et bandelettes
jonchent le sol

les eaux de mes sens
s'offrent
au grand jour
de la confiance

IV

une voix nouvelle
irrigue l'instant
et cicatrise
les yeux
de ma mémoire

V

tu m'aimes
et je suis guéri

Fleuves[1]

les fleuves retournent
au lieu d'où ils sortent
pour couler à nouveau

ils vont tous vers la mer
mais ne la remplissent pas

ainsi sont les paroles
qui filtrent de nos cœurs
sans jamais dire l'amour

l'œil voit
l'oreille entend

les sens s'agitent
et se lassent

1. *Cf.* Qo 1,2-8

P R I N T E M P S

Éveil

I

Un filet d'eau
sous les mélèzes
me rappelle
que j'ai entrevu

un soir

la clarté de ton sourire

II

au secret du jardin
entre les allées de mauves
un oiseau bigarré
siffle gaiement ton nom

le vent tombe
et s'installe
le guet

III

tu prends place
de silence
entre les alcôves
fluides
du sommeil

IV

la pointe apaisée
de mon cœur
capte

au loin

des fragments perdus
d'espérance vierge

V

un héron s'éveille
ses ailes battent l'air
d'un rythme régulier

VI

pâques se lève

Passage

nul ne meurt
seul

nos enfances
raccommodées
trouent un passage
vers l'à-venir

blessures
provisions
viatiques

pupilles
du grand matin
au-delà du temps

PASSAGE

Épitaphe

au terme du voyage
il ne reste rien

sinon le silence
la prière
et l'amitié

cailloux blancs
d'une humanité nouvelle
lavée
dans les eaux limpides
de ta lumière

Table des matières

Québec, Canada
2007